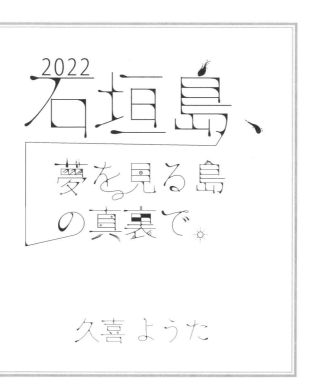

2022

石垣島、

夢を見る島の真裏で。

久喜 ようた

「石垣島、夢を見る島の真裏で。」について

石垣島は東京から南に 1,949 km
沖縄県の八重山諸島の一つのこの南の島は天気が良い日は海の向こうに浮かぶ台湾が見える。
透明に透き通った海と数えきれない程の満点の星空が綺麗で魅力的な島である。
緑の木々は夏の風に揺れ、ゆっくり時間の流れるこの島は観光客で溢れている。
きれいでうつくしい夢のようなこの島に、都会の喧騒を忘れてバカンスを——。

私は今日もペンを握り、煙草の煙を吐き出しながらをオーナーとお客さんとたわいもない話をしていた。
此処は日本最南端のアーケード商店街、旅行者の九割が此処ででお土産を買って帰ると言っても過言ではない。
この観光客溢れる商店街の二本ある通りの裏通りに「カロライナの肉屋」はある。
この店の印象を友人知人の言葉を借りるなら「大阪の西成」「スラム」「商店街に似つかわしくない」お店である。
観光客は急な悪夢に目を逸らして足速に店の前を横切るのだ。
日常に存在するこの店は、綺麗な夢の島に来た人からは異質に見えるのであろう。

旅行者、季節労働者、旅人、移住者、生まれた時から島に住む人、此処には生活が、日常ある。
全てが良い物ではない、綺麗の裏側には不法投棄された思い出が足の裏を突き刺したりもする。
表が存在すれば裏も存在するのである、旅の恥は掻き捨てなんてよく落ちてるもの。

私にとっては此処が「日常」である。

「カロライナの肉屋」私は滞在する約一ヶ月で絵を２３枚の絵を描きました。
石垣島で感じた、経験した、教わった全ての事を私は絵に叩きつけました。

私の生活した石垣島、
夢を見る島の真裏をそろそろと覗いて行って下さいませ。

久喜ようた

目　次

「胃に巣食うオサハシブトガラス」4月19日

カロライナの肉屋。
鬼子の集まる酒場は真裏にてぎゃーてー
まるで烏の夢を咖喱に煮詰めたような
それがとても鉄の味がしたなんて
誰が知ろうか知らないか
残った骸は夏の幻で
私のコレクション棚に小さく鎮座している

真理眼の人
行く眼で描き始めた今日一日から

[DATA] 素材：8切りサイズの画用紙 (270×380mm) に油性マジック／制作年：2022年

「島ぬ人と映画を見る」4 月 23 日

私の友達は石垣島産まれ石垣島育ち
映画好きの島ぬ人と映画鑑賞は遊ぶ時の鉄板なのだ
今回は福島県出身のお砂糖刑務所帰りの友達と三人で
「時計仕掛けのオレンジ」を見る
この部屋はまるで遠くロンドンの
雨に打たれた不機嫌な空で
友達と帰る空は上機嫌な亜熱帯型のスコールで
何処に居るかより誰と居るかが大切
こんなたわいも無い日々を心から愛している
石垣島、ファミマでアイスを買って公園へ
ドルーグとホラーショーな話をして帰ろう

何処へ行っても日常なのだから。

[DATA] 素材：8 切りサイズの画用紙(270 × 380mm)に油性マジック／制作年：2022 年

「お前の未来にさもありな　ん。」4月26日

閻魔様はカチカチとエンマを鳴らしている。
毎日何千何万との舌を抜くのは御苦労な凝った。

地獄というのは妄想の産物ではありませんかね？

それは差もありな　ん　だ。
おかしなことを。

私はというと、涅槃から蜘蛛の糸を垂らして
愛する貴方が掴むまで微睡むのです。
毎日微動だにしない糸に綺麗な雫が伝っても。

百年だけなら待てるからたまには糸を揺らしてね。

[DATA]　素材：8切りサイズの画用紙（380×270mm）に油性マジック／制作年：2022年

「730 交差点の亡霊」4 月 27 日

私は患者になったようで目覚めが悪い。
世界が一夜としてこわい世界になった。
鏡に写る私はいつもと変わらないのだけど。
葉っぱが風で揺れるのもこわい、自分は病人だ。
全てが私を駄目だと言うように、怖くて助けて欲しい。
街中で見かける「何かに怯えているあいつ」は私だ。

誰か私を呼んでくれ。

全てがこわいのだ誰か今すぐ私を救ってくれ、
中央線は真っ直ぐだから。
その日の晩、夢で白いフラミンゴが現れ、
キラキラ光る砂のゲロを吐いた。
僕はそれをただただ何時間か何日か何ヶ月か
涎を垂らしながら見ていた。
綺麗な綺麗な縦軸の流れを魂を流動体にして
ホワイトホールへ消えていく。

窓から射す陽の光でベッドの上、目が覚める。
次の日、私は元の世界に戻っていた。

[DATA] 素材：8 切りサイズの画用紙 (380×270mm) に油性マジック／制作年：2022 年

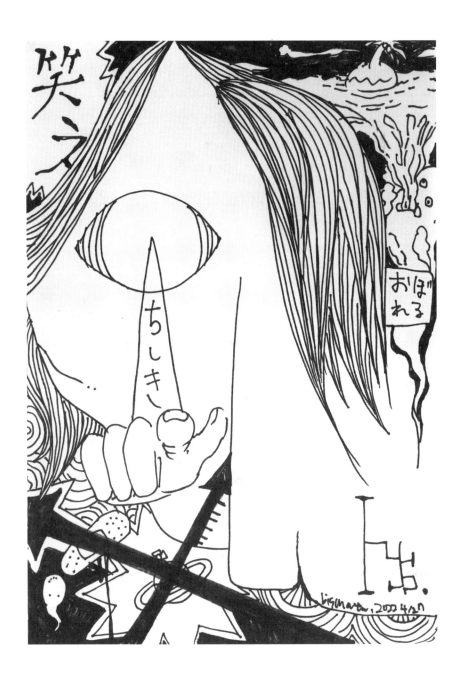

「肖像画・石垣島のウエディングカメラマン H」4月27日

オーナーに肖像画を描いてほしいと頼まれました。
指定された人物はお世話になっているカメラマンさん。

つらつらとあるオーブを描きましたら
「それが気に食わん！」というので
「そしたらーこうしちゃえばいいんじゃないですかあー」
と私は紙の中でころしました。
オーナーとお砂糖刑務所帰りの友達はげらげら笑いました。
最後にオーナーは
「絵の価値が下がるからバッテンをうまく仕立てるように」
と言いました。
そんな気もないので体裁を繕い出来た肖像画です。
これは私がこわい世界で描いた絵なので、
この方はとてもお世話になってる人なので
これはオーナーの乗り移った右手が
オートメーションした世界のお話しです。

H さん、本当にお世話になってます、許して。

[DATA] 素材：8切りサイズの画用紙 (380×270mm) に油性マジック／制作年：2022年

「やぎちゅうどく」4月28日

私はヤギ会に所属しており、
一週間に一度ヤギ会のメンバーとヤギ料理を食べるのです。
肉質、肉量、味、これは全て采配の運ですので
ちゅうどくというのは加速するのです。
私が頼む物はヤギ汁と白ごはんの一択で
すりおろしにんにくをティースプーン5杯ヤギ汁に入れて
白ご飯と頂きます。
体の内側からふつふつ湧き上がるエナジーがたまらないのです。
ああ、至福。
ヤギを食べた後は欠伸が止まらなくて、
お昼寝をするのが決まりです。

白ヤギさん、白ヤギさん。
夢の中でヤギは私の頭をガシガシ食むのです。
はてなんだっけか？と忘れては目を覚ます至福。

さぁ、今日も絵を描きに出掛けよう。

[DATA] 素材：8切りサイズの画用紙（380×270mm）に油性マジック／制作年：2022年

「肖像画・カロライナの肉屋オーナー N」4 月 28 日

オーナーにもう一枚描けと言われたので、
オーナーの肖像画を描きました。
知恵の実を隠し持つ言葉は「おねぇちゃん」
店の前を通るおねぇちゃんを見てはおねぇちゃんを思う。
私が融通の効かない事を言えば
「人生は漫画なのだ、金なのだ！」
と戯けてくれるその経験は追いつける事が出来るのだろうか。

オーナーのお店にはオーナーの落書きが施され、
どれもどこを見てもおねぇちゃんばかりなのだ。
真理なんて馬鹿げたものは断定したくないが、
オーナーにとって柔らかくてあたたかいものは
全部おねぇちゃん達が持っているのだろう。

[DATA] 素材：8 切りサイズの画用紙（380×270mm）に油性マジック／制作年：2022 年

「ゾートロープの人生─廃館丸喜屋ビル3F ─」4月30日

僕ら時間が進めど行けど渡れど
過去の背中を比べてしまうのは
前向きであり後ろは常に此方を向き
ゾートロープに閉じ込められた映画のような人生を
ただ繰り返してるのではないかとたまに思う。

[DATA] 素材：8切りサイズの画用紙(380×270mm)に油性マジック／制作年：2022年

「南十字星に枯れる」5月1日

かんなのお花が好きだ。
大きく派手なドレスのようでいて、
よく見るとそれは一枚ずつの複雑さはない気高いお花。
私が撮影でかんなに顔面を埋めたのは去年の今頃で、
かんなにとっては季節外れで半分枯れていた。

綺麗に咲く一番の時よりも、とても美しかった。

[DATA] 素材：8切りサイズの画用紙（380×270mm）に油性マジック／制作年：2022年

「観音崎灯台の下で溢れる」5月5日

暗がりの海へ向かう洞窟で、魔法にかけられた。
流れ着いたボトルメールの中身は笑気ガスで満たされ
記録をつけるのが好きな私は自分を携帯で写した。
海は毎秒姿を変え、
時に何百枚あるレイヤーを全ての白波に当てはめ描こうとしたり、
引っ張られる時間の狭間に瞬きすると
目が、視線が、ゆっくり溢れて溢れるのだ。
陽が落ちて、暗くなる頃岩肌は燦きあって
私たちは元来た道へときらきら帰された。

翌日。
カメラロールにある写真の中の私は笑っていた。

[DATA] 素材：8切りサイズの画用紙 (380×270mm) に油性マジック／制作年：2022年

「血の一滴」5月6日

昼過ぎに目が覚めて
音楽を聴きながら、一服。
ベランダの植物に水をあげる。
友達が作った与那国黒糖を食べながら窓から入る風に心揺れて。
居候先の主人が作ってくれた美味しいお昼ご飯を食べて
洗濯機を回し、シャワーを浴びる。
下着ひとつでベランダに立ち髪を拭く。
離島ターミナルからの船の汽笛が聞こえる。
髪を乾かして、洗濯物を干す、
洗い物を片付けたり家の掃除をする。
音楽を聴きながら、歌いながら、今日は何を描こうかな。
もう五時だ。

いつもの始まりの場所に出掛けよう。
そして最後の一滴を振り絞る。

私が絵を描くと言う事。

[DATA] 素材：8切りサイズの画用紙 (380×270mm) に油性マジック／制作年：2022年

「果てに捨てる物拾わず」5月7日

「ようたちゃんは甘い物って好き？」
いっぱい質問をしてくれるＡさんは、
最近よく話しかけてくれるようになった。
私が男だと分かった瞬間Ａさんは楽しそうに私に声をかけてくれる。
その質問になんて答えたか覚えてないが、きっと好きと答えたんだろう、
本当はどちらでもないというか、あれば食べるというか、なんというか。
友達のお砂糖刑務所帰りの御二方も集いわいわいとしてると
オーナーの知り合いという紀伊国の音楽屋が御二方来た。
「こいつは藝大出身なんだよ」
目の前の常連のＫさんに「先輩お疲れ様です」と音楽屋の一人が言った。
目の前の、定位置に毎日座ってるＫさんは藝大出身、
なんでも大学で講師をしていたとか。
「ほっ、なんちゃ、描きんしゃい、ほっ」
Ｋさんはいつもの調子でしまを飲んでいる。
いつも通り話しながら絵を描く、そんな私の日常。
紀伊国の音楽屋の一人が私に話しかける
「ようちゃんは独学で絵を描いてるの？」
「はい、美大行きたかったんですが頭も悪くて、
美大行ってる方凄いなーて思います」

「親に金出してもらって学校通ってた事がコンプレックスなんだよ、君
それ俺に喧嘩売ってる？」

突然、顔面に水風船を投げられてしまった。
非日常は真裏に住んで突然顔を出すものである。

〜明日に続く〜

[DATA] 素材：8切りサイズの画用紙(270 × 380mm)に油性マジック／制作年：2022年

「肖像画・びーちゃーしーじゃーK」5月7日

満州生まれの藝大出身のおじいちゃん。
私が目の前で夢中で絵を描いてると
「それ以上描くな！」と声を上げます。

私に余白を教えてくれたり。
私に自家製のおつまみくれたり。
色んな知識を言葉遊びで教えてくれたり。
三杯目からは会話出来なくなったり。
どんなに意思疎通出来なくなってもチャリで真っ直ぐ帰れたり。

「しーじゃーを描いたよ」と言うと
「全然似とらんちゃ！ほっ、あんさん絵うまいな～」

といつもの調子なのでした。

[DATA] 素材：8切りサイズの画用紙 (380×270mm) に油性マジック／制作年：2022年

「於茂登岳から釘を刺す」5月8日

散々ぱら飲み倒しベッドに入ったのは午前4時。
私は寝れないでいた、頭が痛いからだ。
実際は痛くないんだけど、
だったら学校に行かなきゃいいし、高等な教育を受けた事でお前は今、
私の絵に評価を下せるのだ。
なんだか沸々として絶対明日も絵を描きに行くと意気込んで寝た。

そしていつものように絵を描きに行き、オーナーに完成した絵を渡した。
「これは何を描いたんだ？」
絵の事について初めて聞かれた。
「言わなくてもわかるじゃないですか」
私は笑って返した。

オーナーは私をある扉の前に連れて行き
その裏に貼ってある絵を見せた。
「いいかようた、藝大に行っても所詮はこの程度なんだよ、
気にするな」
私はその絵を見てこの角度の人間を描くのは難しいよなと思った、
オーナーは「それだけだ」と言った。

私はなんか憑き物が取れて、ぼけーと煙草を吸っていると

「こんばんは！ようたちゃんにプレゼントがあるの」

突然現れたAさんがドーナツを三つくれた。

〜昨日は終わり〜

[DATA] 素材：8切りサイズの画用紙（380×270mm）に油性マジック／制作年：2022年

「石垣島は夢を見る島」5月9日

真夏の空には一匹の鯨。
その真上宇宙に登るたましいを見届ける入道雲は
衛星よりも高く高く膨らんで行くのだ。

なんだか小学生の頃を思い出したが
それはゲームボーイの画面の中だった。

私の子供の頃の夏の思い出はいつも目の前の四角形だ。

大人になった僕らといえば、
夜更けまでお酒で感覚を麻痺させぷかぷか煙を吐いては
でろでろに溶けていく。
なんか放棄してるよな、そう思うよな。

思いたくない出来心で、
今日はのろいを掛けに行こうと決めたんだ。

[DATA]　素材：8切りサイズの画用紙（380×270mm）に油性マジック／制作年：2022年

「美崎町で掛けたのろい」5 月 10 日

髪の毛には魔力が宿ると言われている。
だから私は長い髪にくらくら酔ってしまうのだろう。

あの人のように夏の風に揺れる
長い髪を思い出すだけで体がぐつぐつと煮立つ。

私は見透かす様な目つきのわるさに定評があるので
形代の君にのろいをかけたのだ。

十八回で私の先手。
余裕のない息遣い。
止めに糸をプツリ。
そして出来上がり。

こうして仕上がったのろいは実に興味深く、
私の欲を満たしてくれるだろう。
放棄した私たちが貪る刺激は、どんな事でも良いのだ、
それが私たち《アーティスト》の性分ではなかろうか。

[DATA] 素材：8切りサイズの画用紙 (380×270mm) に油性マジック／制作年：2022 年

「午後九時に ANA から上がる花火は私」5 月 11 日

のろいを掛けた。
のろいは私の意志の外で大きくなっていくのだ。
そいつを手懐けるのがご主人様よ。
だから私の意に従え。
分かったな。
「ピコン」
背後から録画終了の音がした。
私とした事が、のろいに夢中で気付かなかった。

敵は身内に居たのだ。

私の倍の年行く人には勝てなくて
大都会 730 の中心で全てを曝け出した獣です。

「ようた～！一皮剥けたね！」

石垣島のウエディングカメラマンさんは褒めてくれました。

私は、花火でした。
皆様の笑顔が見たい、花火なのでした。

[DATA] 素材：8 切りサイズの画用紙（380 × 270mm）に油性マジック／制作年：2022 年

「Bar うるべの昼のビリヤニを食べて」5月12日

友達の経営してる Bar の敷地で、
知り合いの人がビリヤニ屋さんを始めた。
予約制のランチのお店だ。
そこのビリヤニは妥協なしのスパイス沢山のビリヤニ、
厳選されたオーガニック野菜
プレートに小さく二つ付くソースがまた美味しいのだ。
美味しくてビリヤニにかける物と知らずにグビグビ飲んでしまった。
素敵なハーブティーを入れてもらって一息つくと
頭の上に天井を打ち抜くほどの何かが鎮座した。

ビリヤニの神様だ。

私は自転車に、私と大きな神様を乗せて自転車を漕いで
絵を描きに行った。
またこのビリヤニを食べて神様とニケツしたいものだ。

[DATA] 素材:8切りサイズの画用紙(270 × 380mm)に油性マジック／制作年:2022 年

「十八番街の埃に塗れた神様」5 月 14 日

どこかへプツプツとんでる知り合いが
絵を見て
「悪魚か神魚かおじさんの涙かもしれないね！」
と言ってたので
「きっとおじさんだとおもう」
そんな気がして返すのでした。

そんなスナックのカウンターの角に溜まった埃に
神様は宿って昼から飲んでるんだよなぁ。

絵も描いたし十八番街に飲みに出掛けよう。

[DATA]　素材：8 切りサイズの画用紙（380×270mm）に油性マジック／制作年：2022 年

「果ての島で教わった事」5月15日

今日が此処で絵を描く最後なのです。
色んな人の横で無心に描きました。
大事な教えと大切にしてる事と主に表層では把握できない自分。

それを叩きつけるだけなのです。

果ての教えは内地では教えてくれない事ばかりで
鬼子の私はペンを持ちながら聞きました。

調子が出ない時も
楽しい時も
怒れる時も
こわい時も
決めうちする時も
何もない時も
嬉しい時も
今日にどんな事が起こっても

どのように表現するかを教えてくれました。

充実した絵を描ける日々は
自分にとって生きている事を教えてくれます。

それでは今日はさよなら、大好きな日々。
また来て石垣島。

[DATA] 素材：8切りサイズの画用紙(270 × 380mm)に油性マジック／制作年：2022年

「にふぇーでーびる」東京 5 月 21 日

お世話になった人へお礼の絵を描きました。

私の絵を好きで居てくれる人
ユーモアたっぷりの愛に溢れる人
色んな景色を見せてくれた人
世界で一番美味しい料理を作る人

無償の愛はまるでもう一人の父のようで。

いつまでもお元気で。
貴方の未来と周りの人々を愛してます。

久喜ようた　より

[DATA]　素材：B5 サイズの水彩紙（257×182mm）にマッキー／制作年：2022 年

「新川の某アパートにて」
4月26日

燃えている大きな鳥が
全てが登っていく方向へ
連れていく
僕は箱庭に開いた接眼鏡を
覗きながら
祈った、長い長い一日。

[DATA] 素材：A4サイズの藁半紙 (297×
210mm) にマッキー／制作年：2022年

「観音崎灯台にて」
5月3日

波を構成してる粒子が分離して
瞳の中を津波が攫った
光の線が灯台に走って
とても綺麗で
三人で笑っていた。

[DATA] 素材：A4サイズの藁半紙 (297×
210mm) にマッキー／制作年：2022年

あとがき

2018年、一年ぶり二度目の石垣島旅行に来てユーグレナモールでお土産を探す為うろうろしていた。「おねぇちゃん奢るから一杯飲んでよ！」声を掛けられ足を踏み入れたのは「カロライナの肉屋」そこで出会った写真家の林さんに「写真を撮らせてよ」と言われ写真を撮ってもらった。波照間帰りの船の甲板で飛び魚を見るのに夢中になってたら、照り返しで顔面火傷した私が写っていた。

そこから石垣島との付き合いが始まる。林さんと私の企画「アンドロギュノス」をテーマに二人三脚の過酷な写真撮り、色んなお店に連れて行って頂き出来た知り合い。泊まってるドミトリーで出来た友達、ライブハウスで出会った人、飲み屋で出会った人、そこから広がっていった縁。笑い合える心優しい島ぬ人の友人と、長い髪を靡かせる和歌山訛りの旅人。そこから一年の三分の一を石垣島で過ごすようになった。

今回出版させて頂いた「石垣島、夢を見る島の真裏で。」は2022年4月14日から5月16日まで滞在した間に描いた絵と滞在中お世話になった人にお礼に描いた一枚の絵を纏めたものです。始まりは絵でも描きたいな、と思い「カロライナの肉屋」で一枚目を描き、4日後に二枚目を描き終えた所オーナーに「描いた絵は買い取るので毎日描きに来い」と言われて描き始めたのです。

夕方6時頃にお店について雑談をしながら何を書こうか考えて煙草を4本ほど吸い終えたら8切りサイズの画用紙に油性マジックで一発書きで、下書きなしに一気に描き切る、所謂ライブドローイング。所要時間は一枚につき一時間から一時間半前後、SNSに上げる写真を撮ってもらい、オーナーに絵を売り、午後8時過ぎ友達と十八番街に飲みに行く。

という生活をしておりました、私の日々と流れ込む一瞬の交わる所での創作。
この絵には石垣島の真裏での日常と感性と表情が詰まっています。添えた散文以外から線の力加減や流れ方からも「感覚」を汲み取って何かを感じて頂ければ幸いです。

石垣島に寄る際にはこの本をガイドブックに、少し思い出して頂けると嬉しいです。

描いた23枚の絵は全て完売し、三名の方の手に渡りました。この本の刊行される経緯は石垣島から帰ってきて、NPO法人わくわくかんから刊

行されている「リボン便り」に絵を載せてみないかというお話があり、最初に三枚の絵を用意しました。編集の柏井さんにこの絵に散文を付けて欲しいとの要望がありましたので散文を付けて打ち合わせをした時に「本を出すべきです」と言って頂き、出版社へ繋いで頂き、念願の本を出す事が叶いました。出版社に繋いで頂いた柏井さん、本を出版させて下さいました社会評論社様の松田さん、心から感謝申し上げます。この本を手に取って下さった方、石垣島で出会った大好きな皆さんに感謝を込めて。

私は今日も何処かで絵を描いてる事でしょう。東京か石垣島か、またまた縁の出来た土地か、何処かのお店の片隅か。また出会える日を心待ちにしております。

　2022 年 8 月

久喜ようた

石垣島でお世話になった人へ。

写真家の林弘康さん、りゅーじぃ、ぴっぴ、池ちゃん、まーくん、はらけん、なかそねさん、くわなさん、あらちろさん
うるべのキースさん、こんきち、どんくん、焼肉屋のだいちゃん、カラオケ屋のだいちゃん、あらた、しょーじくん、ゆうさん
くにちゃん、とむ船長、パブロ、名前も知らない与那国季節労働帰りのみんな、スナックや料理屋のママさん、今回会えなかったみんな。